W9-AXZ-604

Vater unser im Himmel,
geheiligt werde dein Name.
Dein Reich komme,
dein Wille geschehe,
wie im Himmel so auf Erden.
Unser tägliches Brot gib uns heute.
Und vergib uns unsere Schuld,
wie auch wir vergeben
unseren Schuldigern.
Und führe uns nicht in Versuchung,
sondern erlöse uns von dem Bösen.
Denn dein ist das Reich und die Kraft
und die Herrlichkeit
in Ewigkeit.
Amen

Kindergebete

mit Bildern von
Lore Hummel

Engelbert Dessart Verlag · München

Gott, vorüber ist die Nacht,
frisch und munter bin ich aufgewacht.
Behüt mich auch an diesem Tag,
dass mich kein Unheil treffen mag.

Volksgut

Nun danket alle Gott
mit Herzen, Mund und Händen.
Der große Dinge tut
an uns und allen Enden.

M. Rinckart

Herr, segne meine Werke,
mein Denken und mein Tun!
Lass einen deiner Blicke
auf meinen Händen ruhn,
dass sie dir treu ergeben
ihr Tagwerk redlich tun
und abends müd und fröhlich
in deinem Frieden ruhn!

Volksgut

*H*err, schicke, was du willst,
ein Liebes oder Leides;
ich bin vergnügt, dass beides
aus deinen Händen quillt.

Eduard Mörike

$\mathcal{N}$ichts geschieht von ungefähr,
von Gottes Hand kommt alles her,
und was er will, und was er tut,
ist uns zum Heil und ewig gut.

Volksgut

Lieber Gott, mach mich fromm,
dass ich in den Himmel komm!

Volksgut

Aller Augen warten auf dich, o Herr,
und du gibst ihnen Speise
zur rechten Zeit!
Du tust deine Hand auf
und erfüllst alles, was lebt, mit Segen.
Herr, segne uns und diese Gaben,
die wir von deiner Güte nun empfangen,
durch Christus, unseren Herrn.

Volksgut

*J*esukindlein, komm zu mir,
mach ein frommes Kind aus mir.
Mein Herz ist klein,
kann niemand hinein
als du, mein liebes Jesulein.

Volksgut

Was Gott tut, das ist wohlgetan,
es bleibt gerecht sein Wille.
Wie er fängt meine Sache an,
so will ich halten stille.

Er ist mein Gott,
der in der Not
mich wohl weiß zu erhalten.
Drum lass ich ihn nur walten.

Volksgut

Was ich habe, kommt von dir,
was ich brauche, gibst du mir,
gut bist du, du liebest mich,
guter Gott, ich lieb auch dich!

Volksgut

Die Eltern mein empfehl ich dir,
behüte, lieber Gott, sie mir.
Begleite sie auf allen Wegen
und gib ihnen deinen Segen.

Volksgut

Lieber Gott, nun schlaf ich ein,
schicke mir ein Engelein,
dass es treulich bei mir wacht
durch die ganze lange Nacht.
Schütze alle, die mir lieb,
alles Böse mir vergib.
Und kommt der helle Morgenschein,
lass mich wieder fröhlich sein.

Volksgut

Die Deutsche Bibliothek – CIP-Einheitsaufnahme

Kindergebete / mit Bildern von Lore Hummel. –
München : Dessart, 2000
ISBN 3-89050-395-0